CW00350103

La tétine de Nina

Pour Nina et sa maman, Ourdia
~ CNV

Pour Tristan
~ MB

ISBN 978-2-211-07321-9
Première édition dans la collection *lutin poche* : janvier 2004
© 2002, Kaléidoscope, Paris
© 2004, l'école des loisirs, Paris, pour l'édition en *lutin poche*
Loi numéro 49 956 du 16 juillet 1949 sur les publications
destinées à la jeunesse : mars 2002
Dépôt légal : novembre 2013
Imprimé en France par I.M.E. à Baume-les-Dames

Christine Naumann-Villemin

La tétine de Nina

Illustrations de Marianne Barcilon

Kaléidoscope
lutin poche de l'école des loisirs
11, rue de Sèvres, Paris 6e

« Quand vas-tu enfin arrêter de sucer
cette tétine ? » demande Maman.
« Jamais ! répond Nina. C'est ma tétine ! »
« Mais quand tu seras grande,
il faudra bien t'en débarrasser ! »
Nina met sa tétine dans sa bouche :
« Amais, amais, amais ! »

« Alors quand tu iras te promener, tu la prendras ? »
« Bien kûr ! Avec gues gâkeaux et gu kocolat. »

« Et quand tu iras à la piscine, tu l'emporteras ? »
« Oui ! ye plongrai avec ! »

« Et quand tu seras une grande personne
et que tu partiras au travail, tu la garderas ? »
« Oui, d'abord. Y'aurai kouyours ma kékine ! »

23 Tototte square   Jardin des tétines   Place tutte

super tétine

« Mais quand tu te marieras,
tu n'auras quand même pas ta tétine ? »
« Ki ! est krès yoli avec une belle robe ! »

Et là-dessus, Nina va dehors.

Soudain, un loup sort du bois. Un loup affreux, furieux et affamé.
« Arghhh ! Petite fille, je vais te manger ! »

« Oh ! s'écrie Nina. Aikke-moi kranquille ! »
« Quoi ? » fait le loup, qui n'a rien compris.
Nina répète : « Aikke-moi kranquille ! »

Décidément, le loup ne comprend pas.
« Quoi ? Qu'est-ce que tu dis ? »
Nina ôte sa tétine et hurle :
« T'es pas beau, t'es pas gentil
et tu sens mauvais ! Laisse-moi
tranquille ! »

Le sang du loup ne fait qu'un tour.
« Ah oui ? j'suis pas beau ! j'suis pas gentil ! je sens mauvais !
Tu vas voir ce que tu vas voir, petite fille ! »

Et poc !
« Tiens, suce. Ça te calmera. »

Finalement, le loup n'a plus trop envie de manger Nina.
Le loup affreux, affamé et furieux est devenu
un loup tout doux, tout mou, gros doudou.

Avec un petit sourire,
il disparaît dans le bois.
Plus jamais il ne reviendra.

Nina rentre à la maison.
« Eh bien, tu n'as plus ta tétine ? s'étonne Maman.
J'espère que tu ne l'as pas perdue ? »
« Non, répond Nina. Je l'ai donnée à quelqu'un
qui en avait vraiment besoin. »